Een kip voor Pip

ISBN 90 269 9666 7

© 2003 Uitgeverij Van Holkema & Warendorf,
Unieboek BV, Postbus 97, 3990 DB Houten
www.unieboek.nl
Tekst: Anne Takens
Tekeningen: Marjolein Krijger
Vormgeving: Petra Gerritsen

Anne Takens

Een kip voor Pip

Met illustraties van
Marjolein Krijger

Van Holkema & Warendorf

Pip is in de tuin.
Ze zit op de wip.
Wip... wap... wip!
Dat gaat fijn.
Pip vraagt: 'Pap, doe je mee?'
Maar pap heeft geen tijd.
Hij maait het gras
en snoeit de heg.

'De tuin wordt mooi!' roept Pip.
'Maar hij is zo saai.
Er moet een dier in.
Weet je welk dier ik wil?'
'Een geit,' raadt pap.
'Mis,' zegt Pip.
'Een schaap dan?
Of een koe?'

'Nee, pap. Ik wil een paard.'
Pap schudt zijn hoofd.
'Een paard is te duur.
Maar wat vind je van een kip?'
Pip denkt na.
Is een kip wel leuk?
Pap zegt: 'Een kip legt een ei.
Voor jou en voor mij.'
Pip is dol op ei.
Ja! Ze wil een kip.
Want kip rijmt op Pip.
'Goed,' zegt pap.
'Dan maak ik een hok.'
In de schuur staat hout.
Pap gaat aan de slag.
En Pip helpt mee.
Het duurt lang voor het klaar is.
Maar... het hok wordt mooi!

Het lijkt net een huisje.
Met een raam en een trapje
en een dak van riet.
Er is ook een ren.

7

Pip legt er stro in
en pap zegt:
'Straks gaan we naar de boer.
Daar koop ik een kip voor jou.'

Pip rent naar Joost.
Joost woont naast haar.
Hij is haar vriend.
Al heel lang.

Pip roept: 'Ik krijg een kip!
Ga je mee naar de boer?'
'Ja, tof!' roept Joost.
De boer woont vlakbij.
Hij heeft een huis met een wei
en ook een schuur.
Daar ruikt het vies
naar plas van een big.
Joost stoot Pip aan.
'Kijk, een kip!
Ik zie er wel tien!'
Hij wijst naar een zwarte kip.
'Die is gaaf, Pip!
Neem die maar.'
Pip schudt haar hoofd.
Nee, die kiest ze niet,
want dat dier kijkt zo boos!
Opeens ziet Pip een klein kipje.

Het is zo wit als sneeuw.
'Tok, tok!' zegt de kip.
Pip geeft haar een aai.
Het dier is lief en zacht.
Pip roept: 'Ik kies die!'
'Dat is goed,' zegt pap.
De boer krijgt geld
en de kip gaat in een mand.
Thuis mag ze in de ren.

Pip strooit voer in de bak.
De kip smult ervan.
Joost weet een naam voor de kip.
Hij zegt hem in Pips oor.
Pip haalt verf en een kwast
en ze verft op het hok:
J E T

Zo heet hun juf ook.
Jet doet tok, tok, tok
en dan legt ze een ei.
Mam kookt het
en Pip eet het op.

Joost krijgt ook een hap.
Mmmm... dat smaakt goed.

Op een dag legt Jet geen ei.
Ze kijkt sip.
Pip vraagt: 'Ben je ziek?
Of wil je op het gras?'

Pip laat Jet uit de ren.
Oei! Dat mag niet van mam!
Maar Jet is blij.
'Tok, tok, tok!'
Jet rent de tuin uit
en… de weg op.
Toet, toet! Een auto!
De auto remt hard voor Jet.
Er stapt een man uit.

Hij roept: 'Van wie is die kip?'
'Van mij,' zegt Pip.
De man kijkt boos.
'Die kip mag niet los!
Ik reed bijna over haar heen!'
Pip tilt Jet op
en stopt haar in de ren.
'Dag Jet! Dag lief dier!
Ik ga naar school!'

Mam kijkt kwaad.
Ze staat bij het hok van Jet.
'Pip, je kip is weg!
De ren was niet op slot.
Weet jij hier iets van?'
Pip schrikt. Wat dom.
Ze deed de ren niet goed dicht!
Dan komt Joost eraan.

'Je kip is bij mij, Pip!
Kom gauw mee!'
Hoi! Jet is bij Joost in huis.
Ze zit op een bed.
Op het bed van Joost.

15

Pip lacht. 'Gek dier!
Wat doe je hier?
Je hoort in je hok.'
Joost wijst naar zijn bed.
Hij roept: 'Daar ligt poep!
Poep van de kip!'
'Bah, wat vies,' zegt Pip.
'Het is niet erg,' zegt Joost.
Hij veegt de poep weg
met de mouw van zijn trui.

Pip zet Jet weer in haar ren.
'Dag Jet! Leg je een ei?
Voor Joost en voor mij?'
Tok... tok... doet de kip.
Het klinkt heel sip.
Joost zegt: 'Die kip is niet blij.
Laat haar toch vrij.

Ik let wel op haar.
Wees maar niet bang.'
'Goed,' zegt Pip. 'Maar niet lang!
Want het mag niet van mam.'
Jet springt op het gras.
Ze pikt een worm uit de grond
en hapt hem op.
Dan krijgt Pip een plan.
Ze wil op de wip.
Met Joost en de kip.
Dat vindt de kip vast leuk!
Wip... wap... doet de wip.
Joost houdt Jet goed vast.
En Pip giert van de lach.
Het gaat tof!
'Tok, tok!' krijst de kip.
Ze vindt het niet fijn op de wip
en wurmt zich los.

Pip roept: 'Jet, blijf hier!'
Maar Jet rent weg.
Zo snel als een haas.
Joost springt van de wip.
Hij roept: 'Pip, let op!
Kijk, het hek van de tuin!

Dat is niet dicht.
Je kip kan erdoor.'
Pip holt naar het hek,
maar Jet is al op straat.
Tring, tring!
Er komt een fiets aan.
Brroem... brroem...
Een brommer.
Toet! Een auto!

Pip tuurt langs de weg.
Waar is Jet?
Ze ziet haar niet.
De straat is weer stil.
En leeg...

Joost zoekt de kip.
Hij holt door de straat
en Pip kijkt bij de sloot.
Maar er is geen kip te zien...
Wat een pech.

Pip huilt. 'Mijn kip is vast dood.'
Mam is naar haar werk.
Die weet het nog niet.
Dan komt pap thuis.
Hij heeft sla voor Jet.
Daar houdt ze zo van.
Maar de kip is er niet…
Joost zegt hoe het ging.
Pap is boos.

'Je kip hoort in de ren, Pip!
En niet op de wip!
Dat vindt een kip eng.'
Pip snikt: 'Jet kijkt steeds zo sip!
Ze vindt mij vast niet lief!'
Pap troost Pip
en Joost geeft haar een kus.
Maar Pip snikt nog door.
Want ze mist Jet zo erg!

Maar dan...
Tring, tring!
Hee, daar is de boer.
De boer op zijn fiets.
Hij stapt af

en sjouwt met een mand.
'Dag Pip!
Ben je je kip kwijt?'
'Ja!' roept Pip.
De boer lacht.
'Die kip heb ik!
Ze liep in mijn wei
en nu zit ze in mijn mand.'
'Hoi!' roept Pip blij.
'Mijn kip loopt steeds weg!
Ik snap dat niet.
Want bij mij is het toch fijn?'
De boer knikt.
'Ja, bij jou is het fijn.
Maar je kip is nog zo klein.
Ze mist haar vriendjes.
Er hoort nog een kip bij.
En... een haan.'

Pip kijkt naar pap.

Nog een kip erbij?

En een haan?

Dat mag vast niet.

Pap lacht naar Pip.

Het mag! Het mag!

De boer doet de klep van de mand.

'Tok, tok, tok!'

Daar heb je Jet.

'Tok, tok, tok!'

Daar is kip Twee.
'Ku...ke...le...ku!'
roept de haan.
De haan is groot en stoer.
Op zijn kop staat een kam.
Zo rood als een vlam.
Pip tilt Jet op
en geeft haar een kus.
Kip Twee krijgt een aai.
En de haan?

Die stapt door de tuin.
Hij kraait hard en mooi.

Op een dag legt Jet een ei.
Het ei is niet voor Pip.
En ook niet voor Joost.
Het is van Jet en de haan.
Jet zit op het ei.
Heel lang en stil.
En na een tijd...
Tik, tik, klinkt het in het ei.
'Tok, tok, tok!' zegt Jet blij.
Het ei breekt.
Er komt iets uit...
Een kuiken!
'Wat lief!' juicht Pip.
'Wat klein,' zegt Joost.
Het wordt feest in de tuin.

Mam deelt ijs uit
en Pip danst op het gras.
De tuin is niet saai meer.
Want ze heeft Jet
en kip Twee
en de haan.
En... het kuiken.
Pip weet een naam voor hem.
Ze noemt hem Joost.
Net als haar vriendje.

Over Anne Takens

Dit is het kamertje van mij.
Hier maak ik mijn boeken.
Ik heb al een grote stapel!
Poes Soes ligt altijd op tafel.
Of op de computer.
Soms is hij stout. Dan duikt hij in de prullenbak
en gooit rommel op de grond.
Ik heb drie kinderen.
Ze heten Moniek, René en Danielle.
Ik ben ook de oma van Sanne.
Sanne kan nog niet lezen.
Daarom lees ik haar voor uit *Een kip voor Pip*.

Veel liefs van
Anne Takens